For Jay

Paul-Alexis .

90 jours d'écotourisme en Amérique latine

© 2016, MA-Editions – ESKA, Tous droits réservés
ISBN 978-2-8224-0418-1

MA-Editions – ESKA
12 rue du Quatre Septembre
75002 Paris
Tél. : 01 42 86 55 75 – Fax : 01 42 60 45 35
www.ma-editions.com

Paul-Alexis Kebabtchieff

90 jours d'écotourisme
en Amérique latine

MA éditions

Itinéraires

Ce livre regroupe les souvenirs d'un voyage de 3 mois effectué, en sac à dos, à travers l'Amérique latine, au début de l'année 2015.

- Janvier : Nicaragua, Belize, Guatemala, Costa Rica

- Février : Panama, Pérou, Bolivie

- Mars : Îles de Pâques (Rapa Nui), Chili, Argentine

Chapitres

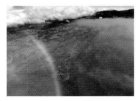

Nicaragua

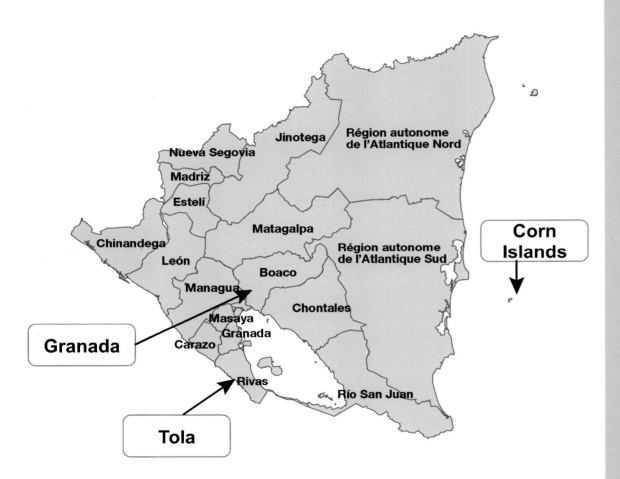

Ci-contre : Formation mystérieuse de bâtons sur la plage, face au Pacifique, Tola.

Page 8 : Vagues venant s'écraser sur le rivage, Casa Canada, grande île du Maïs.

Page 9, à dr. :

Escalier introuvable, ne menant à rien, sauf à la mer. Casa Canada, grande île du Maïs.

Palmiers balayés par le vent, Tola.

NICARAGUA

Les Îles du maïs. La beauté colorée et intacte de ces îles donne à ce mini-archipel, au milieu de la mer des Caraïbes, des reflets de paradis perdu. Ici, tout semble intemporel et improbable, comme ces marches d'escalier blanches, qui ne mènent à rien, si ce n'est à la mer.

Granada

La *Grande Sultane* nicaraguayenne a traversé la colonisation et de nombreuses invasions de pirates. Son architecture andalou-mauresque et son emplacement (entre le volcan Masaya – 635m – et le lac Nicaragua, un des plus grands lacs d'eau douce du monde) en font une ville à couper le souffle.

En haut : Cathédrale de Granada depuis le clocher de l'église de la Merced.

À g. : Cathédrale de Granada, le jour, vue de côté depuis le Parque Central.

Les toits au couchant,
depuis le clocher de l'église de la Merced

Façade du couvent San Francisco, Granada.

Tola. Petite ville posée sur la côte Pacifique, dans la municipalité de Rivas, située au sud du pays, Tola est connue pour ses plages sans fin, dont les vagues enchantent les surfeurs les plus ambitieux.

En haut : Vue de la terrasse du « Magnific Rock », Tola.   À g. : Calle La Libertad, en plein jour, Granada.

Belize

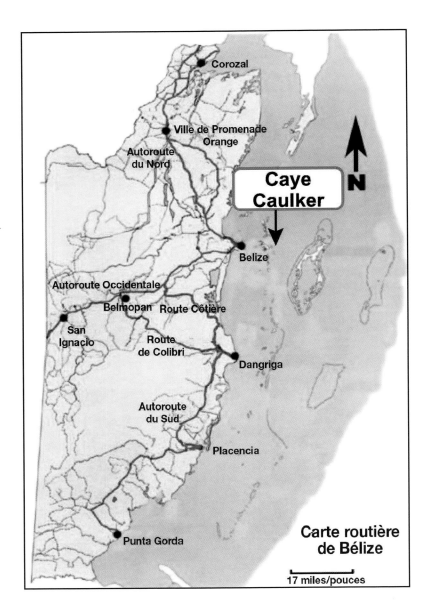

Carte routière
de Bélize

17 miles/pouces

À dr. : Hamacs en baie de Caye Caulker : « No Shirt, No Shoes… No Problem ».

Page 18 : **Great Blue Hole.**

Le « Great Blue Hole », vue de la surface. Ancienne grotte calcaire inondée par la montée des eaux puis effondrée, le Great Blue Hole est un cercle outremer de 120 mètres de profondeur, situé au creux d'un atoll. Ancien lieu sacré maya de sacrifices et d'offrandes, c'est aujourd'hui un site de plongée réputé dans le monde entier.

Page 19 : **Caye Caulker.**

Bateaux en baie de Caye Caulker.

Petite île corallienne atypique, que l'on peut traverser à pieds en 20 minutes et où les voitures sont proscrites, Caye Caulker est une destination phare pour les baroudeurs en quête de découvertes simples.

BELIZE

En bas : Sillage de bateau, en route pour le « Great Blue Hole ».

À g. : Baie sur une île paradisiaque, près du « Great Blue Hole ».
À dr. : Colonie de « Frigate Birds » survolant la forêt.

Guatemala

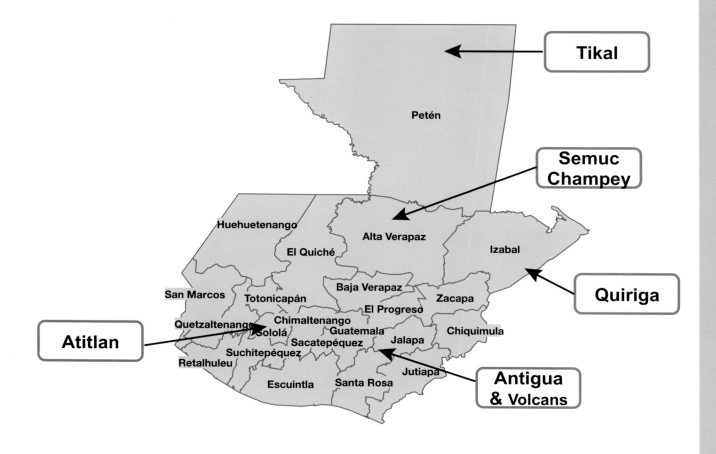

Tikal

Semuc Champey

Quiriga

Atitlan

Antigua & Volcans

Petén

Huehuetenango

El Quiché

Alta Verapaz

Izabal

San Marcos

Totonicapán

Baja Verapaz

Zacapa

El Progreso

Quetzaltenango

Chimaltenango

Sololá

Guatemala

Sacatepéquez

Jalapa

Chiquimula

Suchitepéquez

Retalhuleu

Jutiapa

Escuintla

Santa Rosa

Tikal : Capitale d'un royaume dominant, conquérant et puissant, Tikal est un modèle archéologique qui témoigne de l'apogée de la grandeur Maya, avec ses pyramides, palais et zones résidentielles. Partiellement excavé et abritant encore de nombreuses ruines sous terre, le site n'a pas encore dévoilé tous ses secrets.

À dr. : Lever du soleil en haut du volcan Acatenango (3976 m), face au volcan Agua (3760 m).

Page 24 : Templo I du site archéologique maya du Tikal, à l'aube.

Page 25 : Ruines du site archéologique maya du Tikal, dans la jungle environnante, à l'aube.

GUATEMALA

Ci-contre : La stèle F du site archéologique maya de Quirigua.

En haut : Passage dans une jungle, sur les flancs du volcan Acatenango (3976 m).

À dr. : Paysages vallonnés, sur la route entre Flores et Semuc Champey.

Semuc Champey est un monument naturel prés de la ville maya de Lanquín. Il se compose d'un pont de calcaire naturel de 300 m, qui passe sous la rivière Cahabón. Au sommet du pont se trouve une série de bassins d'eau turquoise.

À g. : Piscines d'eau douce vues du Mirador, monument naturel de Semuc Champey.

À dr. : Piscines d'eau douce, monument naturel de Semuc Champey.

Traversée en bateau du Lac Atitlán,
de Panajachel vers San Pedro la Laguna

Maison prise au piège par la montée des eaux
du Lac Atitlán, San Pedro la Laguna

À g. : Vue de la rue principale et du Lac Atitlán, San Juan la Laguna.

À dr. : Sommet du volcan San Pedro (3020 m), dominant le Lac Atitlán.

Antigua

Ancienne capitale du Royaume de Guatemala, Antigua a été secouée par plusieurs terribles tremblements de terre à la fin du XVIIIᵉ siècle, qui la laissèrent quasiment entièrement détruite. Malgré les dégâts, elle reste connue pour son architecture coloniale héritée de l'Espagne baroque.

À g. : Vue d'Antigua et du volcan Agua (3760 m), depuis le Cerro de la Cruz.

À dr. : Marché de rue en pleine journée, Antigua.

À g. : Éruption du volcan Fuego (3763 m) depuis les flancs du volcan Pacaya (2552 m).

À dr. : Forêt baignée par le brouillard, dans la vallée entre les volcans Acatenango (3976 m) et Fuego (3763 m).

Les volcans guatémaltèques sont proches les uns des autres, et si certains sont éteints (Acatenango, 3976 m et Agua, 3760 m), d'autres sont très actifs et entrent régulièrement en éruption (Fuego, 3763 m). L'ascension de ces volcans reste une expérience époustouflante pour tous les randonneurs.

Sur le chemin de crête du volcan Fuego (3763 m).

Coucher de soleil sur le volcan Fuego.

À g. : Couchers de soleil sur le volcan Fuego (3763 m).

40 À dr. : Nuages enveloppant le cône du volcan Agua (3760 m), depuis les flancs du volcan Fuego (3763 m).

Début d'éruption depuis la crête du volcan Fuego (3763 m).

Lever du soleil, dans une mer de nuage, depuis le sommet du volcan Acatenango (3976 m).

À g., à dr. : Lever du soleil, dans une mer de nuage, depuis le sommet du volcan Acatenango (3976 m).

Costa Rica

Alajuela

Guanacaste

Heredia

Limón

Cartago

San José

Parque Manuel
San Antonio

Puntarenas

Parque national Manuel Antonio

Situé sur la côte Pacifique du Costa Rica, le Parc National Manuel Antonio est un lieu particulier, avec une politique touristique visant à conserver sa faune et sa flore, tout en donnant l'opportunité aux touristes de se promener au milieu des plages et de la jungle.

Page 48 : Coucher de soleil sur la plage Espadilla, Parque Nacional Manuel Antonio.

Pages 49 et 50 : Faune dans le Parque Nacional Manuel Antonio : araignée géante, paresseux, iguane, singes.

COSTA RICA

À dr. : Forêt se jetant
dans le Pacifique,
Parque Nacional Manuel
Antonio.

Panama

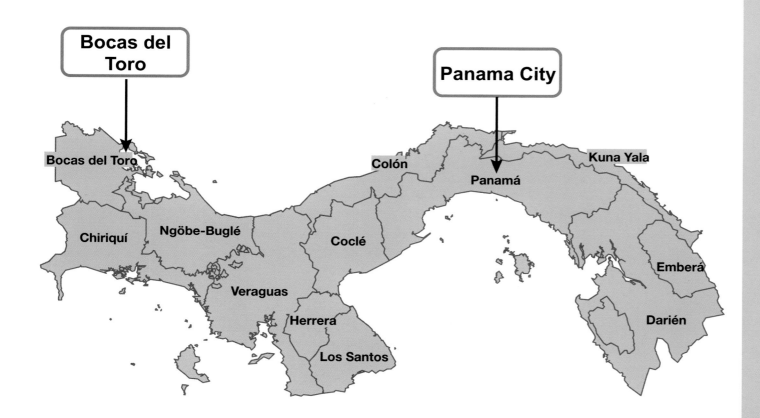

Bocas del Toro

Panama City

Bocas del Toro

Colón

Kuna Yala

Panamá

Chiriquí

Ngöbe-Buglé

Coclé

Emberá

Veraguas

Herrera

Darién

Los Santos

Archipel Bocas de Toro

Composé de neuf îles au Nord-Est du pays et facilement accessible, l'archipel multiplie les activités touristiques, tout en protégeant son écosystème et les espèces animales qui y vivent.

Survol des terres autour de l'archipel de Bocas del Toro.

PANAMA

En haut, à dr. : Traversée en bateau, dans l'archipel de Bocas del Toro.

Ci-contre : Survol de la mer en petit avion.

À dr. : Traversée en bateau, dans l'archipel de Bocas del Toro.

Pérou

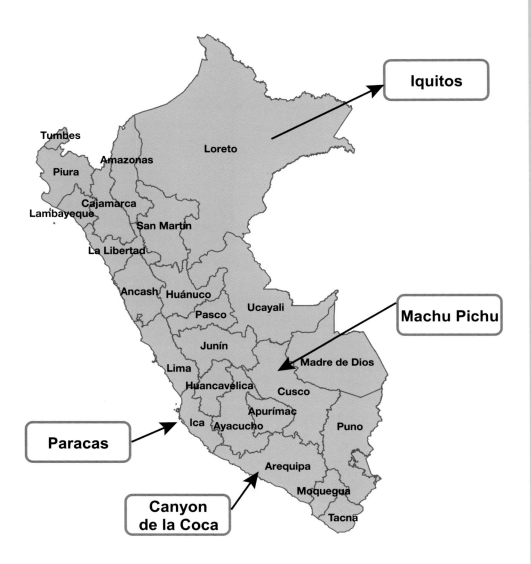

Iquitos

Tumbes

Loreto

Amazonas

Piura

Lambayeque

Cajamarca

San Martín

La Libertad

Ancash   Huánuco

Ucayali

Pasco

Machu Pichu

Junín

Madre de Dios

Lima

Huancavelica

Cusco

Apurímac

Ica   Ayacucho

Puno

Paracas

Arequipa

Canyon
de la Coca

Moquegua

Tacna

À g. : **Machu Pichu**

Le Machu Pichu est une ancienne cité Inca extraordinairement sophistiquée. Sanctuaire religieux ou demeure prévue pour le grand Pachacutec la ville, positionnée en terrasses, surplombe les montagnes. Les secrets de son architecture et toutes les techniques de construction employées restent inconnues, la seule certitude étant que les Incas maîtrisaient parfaitement l'acheminement de l'eau courante et les constructions en pente.

Paysages désertiques dans la réserve nationale de Paracas.

Page 61 : Côte Pacifique dans la réserve nationale de Paracas.

PÉROU

Route zigzaguant à travers les canyons entre Paracas et Nasca.

Oasis à travers les canyons, non loin de la route entre Paracas et Nasca.

La réserve naturelle de Paracas. La réserve est un joyau naturel, protégé depuis 1975, où des milliers d'espèces migrent, au fil des saisons. Le désert se jette dans la mer dans un dégradé de rouge, de sable et d'azur. De rares oasis viennent ponctuer les vallées désertiques environnantes.

En haut : Ponton donnant sur la baie de Paracas, en plein jour.
À dr. : Couchers de soleil sur la baie de Paracas.

Rio Volcanota déchaîné en fin de saison des pluies,
au pied du Machu Pichu.

Marches menant au sommet de la Montagne
du Machu Pichu (3082 m).

Vue du Machu Pichu se découvrant dans une mer de nuages.

À dr. : Vue des reliefs depuis le nid des Condors, dans le canyon de la Colca.

Canyon de la Colca

Deuxième canyon le plus profond du monde, il est relativement difficile d'accès, le transport de vivres et de biens se faisant uniquement grâce à des mules, seules à pouvoir attendre les villages isolés. Le canyon est également connu pour pouvoir admirer le vol de majestueux condors.

Ci-contre : Lamas profitant des pâturages au Machu Pichu.

À dr. : Mules transportant des vivres, dans le canyon de la Colca.

À g., à dr. : Lever progressif du soleil sur les reliefs, canyon de la Colca.

À g., à dr. : Lever progressif du soleil sur les reliefs, canyon de la Colca.

Ci-contre : Champs
de plantations, canyon
de la Colca.

À dr. : Traversée
de l'altiplano péruvien
entre Arequipa et
Puno.

Lac Titicaca

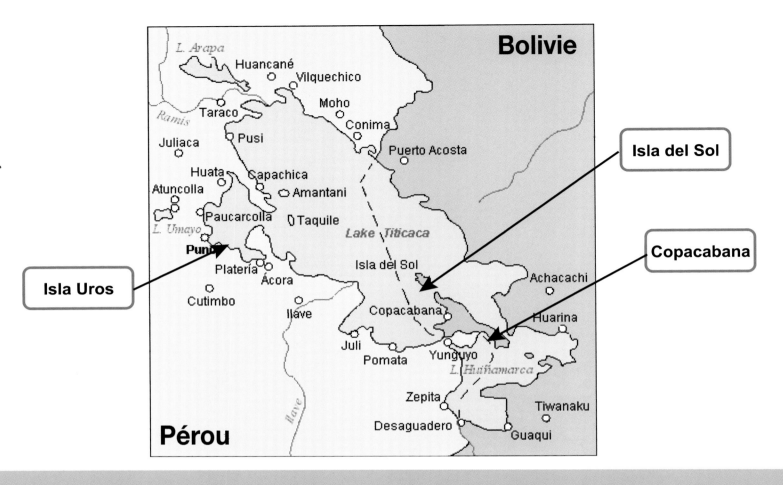

Bolivie

L. Arapa
Huancané
Vilquechico
Moho
Ramis
Taraco
Conima
Pusi
Puerto Acosta
Juliaca
Huata
Capachica
Isla del Sol
Atuncolla
Amantani
Paucarcolla
Taquile
Lake Titicaca
L. Umayo
Isla del Sol
Puno
Achacachi
Platería
Copacabana
Ácora
Huarina
Isla Uros
Cutimbo
Ilave
Juli
Yunguyo
Pomata
L. Huiñamarca
Zepita
Tiwanaku
Desaguadero
Guaqui
Pérou

Isla del Sol

Copacabana

Lac Titicaca

« Le lac des pumas de pierre » devrait son nom à une vieille légende andine, inspirée de pumas mangeurs d'hommes pétrifiés et de déluge divin. Plus haut lac navigable du monde (3800 m), il est aussi l'un des plus grands lacs d'Amérique latine, à cheval entre le Pérou et la Bolivie. De la côte péruvienne, les habitants de ses îles flottantes (faites de roseaux), les Aymaras, vivent encore dans le respect des traditions ancestrales et grâce à la pêche, l'artisanat et le tourisme. De la côte bolivienne, l'île de Soleil, berceau de la cosmologie inca, fait face à l'île de la Lune.

À g. : Portail iconoclaste sur les îles d'Uros, flottant au large de Puno.
Page 79 : Barque traditionnelle voguant dans les eaux boliviennes du Lac Titicaca.
Page 80 : Barque traditionnelle accostée sur les îles d'Uros, flottant au large de Puno.

LAC TITICACA

Ci-contre et à dr. :
Sentier de randonnée autour de
Copacabana, du côté bolivien.

Panorama du haut du Cerro
Calvario, Copacabana.

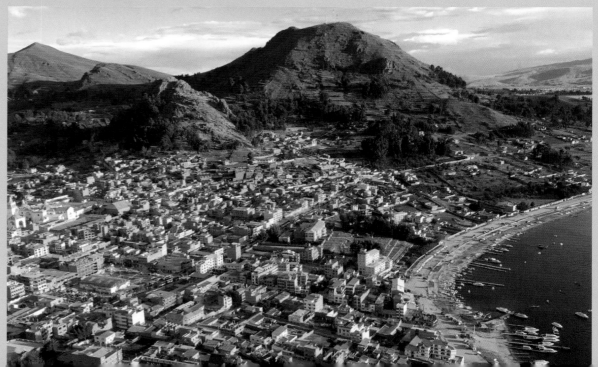

À g. : Cairns marquant la route à suivre, sur l'île du Soleil.

Ci-contre : Panorama du haut du Cerro Calvario, Copacabana.

En bas : Berges de l'île du Soleil, au large de Copacabana, du côté bolivien.

Bolivie

Pando

Beni

La Paz

Salar de Uyuni

Cochabamba

Santa Cruz

Oruro

Altiplano

Potosí

Chuquisaca

Tarija

Salar d'Uyuni

Ce désert bolivien, plus grand désert de sel du monde, est né après l'évaporation de lacs préhistoriques, qui ne laissèrent aucune trace, en dehors du sel de leurs eaux disparues. Étincelant, il est inondé à la fin de la saison des pluies, ce qui vient accentuer son éclat et la marque de reflets irréels.

À dr. : Lac de Cañapa reflétant un volcan, altiplano bolivien.

Page 88 : Terre et sel mélangés, à l'entrée du Salar d'Uyuni.

BOLIVIE

Cimetière de locomotives et de
voitures, à l'entrée du Salar d'Uyuni.

Formations rocheuses, à la sortie du Salar d'Uyuni, lors de la traversée de l'altiplano bolivien.

Page 90, haut : Colline au coucher du soleil, à Huayllajara, altiplano bolivien.
Page 90, à g. : Jeep traversant le secteur sec du Salar d'Uyuni.
Page 90, à dr. : Reflets du ciel sur le sel, secteur inondé du Salar d'Uyuni, à la fin de la saison des pluies.

Approche du 'Laguna Blanca'.

Lac Canapa

En traversant l'altiplano bolivien, ce lac vient rompre l'impression de vide et d'aridité ambiants pour offrir le spectacle de flamands roses, posés au milieu d'une vaste étendue d'eau tranquille, miroir parfait du ciel et des montagnes.

Ci-contre : Formations rocheuses, à la sortie du Salar d'Uyuni, lors de la traversée de l'altiplano bolivien.

Lac de Cañapa reflétant un volcan.

Approche du « Laguna Blanca ».

À dr. : Approche du « Laguna Blanca ».

Photo panoramique :
Approche du « Laguna Blanca ».

Ci-contre : « El Árbol de
Piedra », roche sculptée par la
nature et le vent, désert Siloli.

98

Ci-contre : « Laguna Colorada » et sa colonie de flamands roses.

Ci-contre : Geysers au lever du soleil, proche de Polques et de la frontière chilienne.

Vue du « Laguna Verde », au petit matin, dominé par la haute silhouette du volcan Licancabúr.

Photo panoramique : « Laguna Colorada » et sa colonie de flamands roses.

Île de Pâques
Rapa Nui

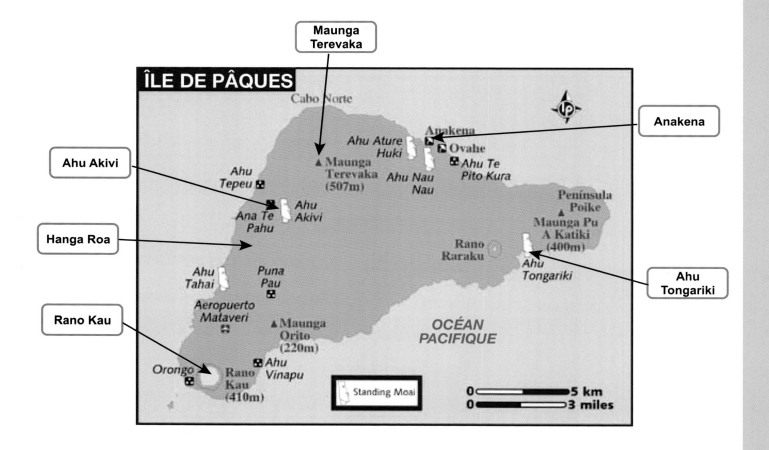

Maunga Terevaka

Anakena

Ahu Akivi

Hanga Roa

Rano Kau

Ahu Tongariki

Les Moaïs sont des constructions gigantesques de l'île de Pâques, et font sûrement parti des monuments les plus énigmatiques du monde, tout comme la civilisation qui les a érigés. Laissés sans autres traces, ils semblent continuer la surveillance sans fin d'une île hors de portée.

Page 104 : Vue de l'océan depuis la grotte d'Ana Kai Tangata.

Page 105 :

En haut : À Moais d'Ahu Tongariki, en fin d'après-midi.

En bas : Moai submergé, au large de l'île.

ÎLE DE PÂQUES RAPA NUI

À g. : Vue de l'océan depuis la grotte
d'Ana Kai Tangata.

Ossements bovins, au milieu d'un
champs.

En haut, à dr. : Table en terrasse très
privée, Hanga Roa.

En bas, à dr. : Formation mystérieuse
de troncs d'arbre.

RANO KAU

Le cratère gigantesque de Rano Kau, ancien volcan éteint, est aujourd'hui le lit de plusieurs petits lacs qui forment un curieux spectacle naturel. Les anciens pascuan étaient connu pour faire de cette merveille naturelle le terrain de leurs rites initiatiques, entre chasse et combat, en l'honneur du dieu Make-Make.

Bûcher au sommet du Maunga Terevaka.

Randonnée sur les flancs du Maunga Terevaka.

À dr. : Moais d'Ahu Tahai, au petit matin.

Chili

Iquique

Antofagasta

Copiapo

La Serena

Valparaiso
Metropolitana
Rancagua
Talca
Concepcion
Temuco
Puerto Montt

Torres del Paine

Coihaique

Punta Arenas

TORRES DEL PAINE ET LAGUNA VERDE

Comment rester insensible devant les Torres de Paine ? L'équilibre du relief fait penser au terrain de jeu d'anciens géants disparus, ne laissant que ces formidables ruines comme héritage. Le lac en contrebas, d'un vert sulfureux, reflète la domination écrasante de ces montagnes sculptées et transforme le paysage en un tableau empreint d'irréel.

Vue des « Torres del Paine » et du « Laguna Verde ».

CHILI

Torres del Paine

Le parc national de Torres del Paine est une réserve naturelle protégée de Patagonie composée de lacs, rivières, glaciers et montagnes, tous plus splendides les uns que les autres. Site le plus visité du Chili, élu 5e endroit le plus beau du monde par le National Geographic, il a réussi à garder son âme en dépit du nombre de visiteurs foulant son sol chaque année.

Ci-contre : Départ des Torres.

Page 115 :

En haut : « Lago Pehoe », en route vers les Cuernos.

En bas : Départ des Torres et traversée du premier pont.

Photo panoramique : « Lago Pehoe », en route vers les Cuernos.

À g. : Départ des Torres et traversée du premier pont.

À dr. : « Lago Pehoe », vu de la « Valle del Frances ».

Vue des Cuernos,
dans la « Valle del Frances ».

À g. : Vue des Cuernos, dans la « Valle del Frances ».
À dr. : Vue des Cuernos, en route vers le camp Pehoe. Vue des Cuernos, en route vers le camp Pehoe.

Vue des Cuernos, en route vers le camp Pehoé.

À g. et à dr. : Massif del Paine, en route vers le camp Pehoe.

Ci-contre : « Lago Grey », au petit matin.

« Lago Grey » au petit matin.

Argentine

Jujuy

Salta

Formosa

Catamarca

Tucuman

Chaco

Misiones

Santiago del Estero

La Rioja

Corrientes

San Juan

Santa Fe

San Luis

Cordoba

Rios

Mendoza

Capital Federal

Neuquen

La Pampa

Buenos Aires

Fitz Roy

Rio Negro

Perito Moreno

Chubut

El Calafate

Santa Cruz

Tierra del Fuego

128

Glacier Perito Moreno

En pleine Terre de Feu, le glacier Perito Moreno est un des plus célèbres et impressionnant glaciers du pôle sud. Sa superficie, d'environ 250 km², en fait un titan de glace spectaculaires, d'autant plus qu'il est un des trois seuls glaciers de Patagonie a encore s'étendre.

En haut : Arrivée sur le village d'El Chalten.

ARGENTINE

Massif du Fitz Roy, par un temps menaçant.

Fitz Roy

Chaîne de montagne taillée par le vent et les précipitations, le Fitz Roy, en Patagonie, impressionne tant le relief et le climat semblent hostiles : l'intensité de la lumière n'y a d'égale que la variabilité du climat.

En haut à dr. : Lac indigo, lors de la traversée du désert entre El Calafate et El Chalten.

Page 134 et en bas à dr. : Fin d'après-midi plus clémente, chemin de retour du Fitz Roy.

135